ICI ET LÀ

STÉPHANIE KAUFMANN

ici et là

récits

L'instant même

Maquette de la couverture : Anne-Marie Jacques
Illustration de la couverture : Line Tremblay, *En passant,* 2008, acrylique sur toile de lin (91 × 91 cm)
Photocomposition : CompoMagny enr.

Distribution pour le Québec : Diffusion Dimedia
539, boulevard Lebeau
Montréal (Québec) H4N 1S2

Distribution pour la France : DNM – Distribution du Nouveau Monde

L'instant même
865, avenue Moncton
Québec (Québec) G1S 2Y4
info@instantmeme.com
www.instantmeme.com

Dépôt légal – Bibliothèque et Archives nationales du Québec, 2009

Catalogage avant publication de Bibliothèque et Archives nationales du Québec et Bibliothèque et Archives Canada

Kaufmann, Stéphanie, 1970-

   Ici et là

   ISBN 978-2-89502-251-0

   I. Titre.

PS8621.A69I24 2009   C843'.6   C2009-940299-8
PS9621.A69I24 2009

L'instant même remercie le Conseil des Arts du Canada, le gouvernement du Canada (Programme d'aide au développement de l'industrie de l'édition), le gouvernement du Québec (Programme de crédit d'impôt pour l'édition de livres – Gestion SODEC) et la Société de développement des entreprises culturelles du Québec.

J'aime le mot *fugitif,* c'est comme ça, il y a des mots qui oublient la prose du moment, qui descendent l'escalier vers la porte et prennent le chemin qui mène à la rue, puis ailleurs, le plus loin possible de cet endroit.

La petite Camille aura bientôt un an, et ses petits poings se sont refermés contre la boutonnière de son petit pyjama : tout est petit quand on ne souhaite pas que son bébé grandisse. Tout à l'heure – à l'heure de la tétée – elle a refusé le sein pour la première fois et le mouvement de la chaise à bascule s'est tu, le petit boudoir parfumé est devenu tout triste, comme la mère. Sur la console en bois de rose, une infusion de camomille refroidissait dans sa théière en grès, la tasse était propre, et les rideaux encore ouverts encadraient doucement les relents violacés du jour.

Battant ou guillotine, un choix épineux pour qui se préoccupe des relations qu'entretiennent, à la frontière, l'intérieur et l'extérieur d'une maison. En temps de paix, c'est-à-dire l'été, et tout particulièrement lorsqu'on habite la campagne, l'épiderme tend à communier avec la nature et se complaît dans le relâchement des tensions que maintiennent avec le dehors, par temps froid, nos vigilantes ouvertures. De la ventilation avant toute chose! clament nos troupes asphyxiées par les scaphandres et boucliers thermiques que sont devenus les vitrages modernes. La fenêtre à crémone, ou française, moins répandue dans nos contrées et nos villes dominées par la fenêtre à poulie d'origine britannique, représente à cet effet la stratégie optimale, bien que tout dispositif dont le châssis mobile est suffisamment ample puisse remplir adéquatement sa fonction d'aération. L'apport relativement récent de la manivelle, qui imprime au battant un mouvement de rotation vers l'extérieur en le maintenant à un angle d'ouverture déterminé, offre également l'indéniable avantage de libérer l'embrasure à l'intérieur des murs tout en procurant à la fenêtre, l'hiver, une étanchéité supérieure de par la faible contrainte que

10

ce type de mécanisme exerce sur les coupe-froid. Pour ceux, toutefois, que les dormants accablent et que la nostalgie des vantaux sur gonds tiraillerait, une solution de remplacement aux modèles actuels s'incarne dans une version revampée de la fenêtre à guillotine, laquelle, en diplomate habile, négocie désormais les courants d'air et mouvements de convection à travers le jeu d'un double châssis mobile, amovible et d'accès facile en cas de bavure saisonnière. Complément tactique, la moustiquaire pleine hauteur jugule les affrontements sanglants entre nuées autochtones et organismes domestiques qui, eux, n'admettent dans leurs nids que la lumière, la brise et le panorama filtrés par la fenestration. En territoires conquis comme dans l'arène urbaine, un seul mot d'ordre : *confort !*

Elle s'intéressait depuis peu aux principes de l'architecture japonaise, le style *sukiya* des maîtres du thé ondulait en elle comme les graviers d'un jardin zen et conviait son œil aux délices du dépouillement et de l'asymétrie. Une paix aurait pu se dégager des murs si elle avait eu conscience auparavant des vertus modulaires du tatami – nombre d'or du Levant qui trame la structure, le sol et les ouvertures selon les proportions d'un corps au repos. Il y a plus d'un siècle, la transparence de la maison nippone, son ossature apparente, la nudité de ses matériaux avaient séduit les architectes puritains, tout comme elle se sentait appelée aujourd'hui par l'élégance salvatrice du peu et de l'utile. Elle avait les épaules lourdes de son décor et de la compartimentation des espaces, de ces cloisons fixes qui emprisonnent la fonction, et les gens. Elle rêvait d'une longue véranda en bois de cèdre qui la guiderait vers un jardin ciselé dans sa beauté sauvage, harmonieux et musical en chaque saison. Des pas japonais la mèneraient à un bassin bordé de roseaux, puis à un pavillon rudimentaire où elle lirait tous les matins en prenant le thé. Elle poserait des lanternes le long du chemin pour accueillir les visiteurs, et dans ce lieu béni qu'elle se forgeait les soirs de solitude, les mouvements étaient fluides, et les pauses, méditatives comme des haïkus calligraphiés.

Le temps était beau, la matinée aussi, avec cette bonhomie du samedi qui nous faisait croire que le dimanche ne viendrait pas, ou serait très en retard, ou encore que les semaines deviendraient de longs samedis tournant en boucles heureuses et infinies, pour les siècles des siècles. Dimanche viendrait pourtant, mais avant le dîner, j'arrivais à dégager de ma bulle cette pensée sinistre.

C'était donc un parfait samedi de septembre, un peu chaud, mon arbre m'attendait au bord de l'eau, un érable assez jeune que j'avais appris à escalader malgré les petits vertiges que me donnaient déjà les hauteurs. Je m'y réfugiais à l'occasion pour penser à la vie, à l'école, à rien surtout, ce qui ne m'arrivait pas souvent. Mon frère occupait alors l'arbre à côté, un érable aussi, mais plus mûr, aux branches hautes qu'il atteignait en grimpant à son tronc hérissé d'échardes. Moi, pas très Tarzan de nature, je m'appuyais sur la clôture des voisins.

Je voulais être seule, la maison n'était jamais assez grande pour notre famille. À la limite du terrain, perchée sur ma branche, je n'y arrivais pas, on me suivait toujours. J'avais tenté pendant les vacances de me glisser derrière un panneau de bois pourri, sous la vieille cuisine d'été, dans le vide sanitaire, quoi, mais ce que je n'ai pas vu là à cause de la noirceur m'a suffi, moi qui courais les yeux par terre pour ne pas mettre les pieds où il ne fallait pas.

L'hiver, je me sauvais dans ce qu'on appelait le garage et qui servait à parquer de tout sauf la voiture. Mon père y entreposait ses outils de jardinage, une scie circulaire, de la tourbe et de la poudre d'os. Pendant plusieurs années, on y avait des clapiers avec de vrais lapins dedans, un gros sac de moulée verte à côté, puis après, les clapiers sont restés vides. Les motoneiges de mon plus jeune frère ont pris la place, il y avait des boulons et de la graisse partout sur le plancher de béton. Moi, je montais au grenier de ce petit chalet converti en cabanon géant, l'échelle était droite et clouée au mur, juste de la bonne longueur, ce qui me donnait un peu la frousse quand je devais redescendre dans le trou. On voyait les chevrons du plafond, les planches étaient mal équarries, mais j'aimais l'odeur des bottes de paille et de foin qu'on rangeait là-haut pour les lapins, c'était comme si les vacances avaient duré des mois encore.

Je ne peux pas dire que je n'aimais pas l'école, je l'aimais quand j'étais assise en classe à mon pupitre, mais j'aimais encore mieux la liberté que je retrouvais aux abords du samedi. Pourtant, je ne savais pas quoi en faire. J'étais toujours occupée, à une corvée ou à un bricolage, mais j'attendais un miracle de ces heures bénies, qui ne se produisait pas et qui donnait au souper du dimanche son amertume habituelle. J'avais mal au cœur vers la fin de l'après-midi, ça se passait toujours de cette manière, ce nuage qui planait dans ma tête même s'il faisait beau dehors. Puis le soir arrivait, le bain, les *Beaux Dimanches,* et mon livre avant le coucher. Je laissais derrière moi les espoirs de la fin de semaine et j'entrais dans la routine, je mourais un peu, ce qui me faisait du bien.

Je ne peux pas dire non plus quel miracle j'espérais, on ne croyait pas en Dieu à la maison. Peut-être que j'aurais voulu croire. Je me souviens d'un jour passé avec mon frère dans le garage, nous fabriquions un planeur qui devait nous porter au-dessus du village. Il était lourd! Je ne comprends pas ce qui nous attachait à ce projet bizarre, l'un tentait si fort de convaincre l'autre. Au moins, nous avions réussi à partager un rêve, ce qui n'était pas dans nos habitudes.

Quand le froid était bien installé et que la taille de mon corps me le permettait encore, je grimpais dans le cagibi au-dessus de ma garde-robe. C'est le genre de choses qu'on trouve dans les vieilles maisons, une petite armoire qui séparait le placard en deux, avec sa porte et son loquet, où ma mère rangeait des couvertures et des vêtements qui n'étaient plus de saison. J'avais vidé le mien pour en faire un nid, comme ça, sous le plafond de ma chambre. Je n'y suis pas allée souvent, parce que je n'étais pas chez nous, au fond, et que ma mère avait trouvé mon idée dangereuse. Je montais là en posant mes pieds sur les poignées de portes qui se côtoyaient à l'entrée de ma chambre, et dans un mouvement périlleux, je finissais de me hisser en prenant pied sur la tringle à vêtements, de laquelle tombaient chaque fois quelques cintres. Le son prévenait ma mère et je devais redescendre, mais les quelques fois où j'ai pu trouver la paix sans qu'on m'entende, je n'entendais plus les voix qui m'appelaient dans la maison.

Dehors, l'été, bien avant que le solarium ne soit reconstruit, je passais la balustrade de l'escalier qui longeait le mur est de la maison pour m'installer sur le toit. La tôle en était légèrement rouillée, et la peinture noire exposée au soleil me brûlait les cuisses. Je faisais un peu semblant de lire, j'étais là surtout

17

pour y être, justement, et pas ailleurs. Si la chaleur devenait insupportable, je retournais près de l'eau, dans mon arbre. Ma mère avait rapporté de Lucerne une cloche à vache qu'elle agitait et qu'une partie du village pouvait entendre quand elle nous appelait à table. Le terrain était profond, et il se trouvait un escalier de pierres, au bout, qui descendait jusqu'au rivage, mais jamais assez loin pour ignorer la cloche.

Mes oreilles me suivaient partout, qu'est-ce que j'aurais pu y faire? À l'adolescence, je marchais jusqu'au bout du trottoir, dans la direction de l'église ou de la halte routière, cela dépendait du temps qu'il faisait ou dont je disposais. Les destinations n'étaient pas nombreuses: le dépanneur, la poste, la patinoire et la bibliothèque, qui fut longtemps celle de mon école. Au primaire, j'allais bien en ville une fois la semaine pour mes cours de ballet, et aussi les soirs d'épicerie. Nous disions *la voiture* au lieu de *l'auto,* et nous ne faisions jamais *la commande* mais *les courses.* C'était nous, ça. Je n'étais pas d'ici, et pourtant, je n'avais pas fait bien plus que le tour du jardin.

Ce jardin était tout de même surprenant, il y avait des framboises et des choux-fleurs tout blancs, des fines herbes et tout le reste, tout ce qu'il faut. Beaucoup de sueur passait là. Un jour, mon père me montra quelques plants d'asperges qu'il avait semés près de l'arbre de mon frère, il fallait l'abattre si on voulait manger des asperges, un légume capricieux comme tout. C'est comme ça que mourut le bel érable, et les asperges n'ont jamais poussé. Beaucoup plus tard, mon frère a pris un bateau pour être capitaine, et mon arbre a vécu bien seul.

La pluie, le vent, la neige et le soleil ont battu ses branches pendant des années, c'est fort, un arbre. Mais j'ai fini par devenir trop lourde pour lui, ou peut-être moins souple. J'allais cueillir des champignons dans le bois, et je préparais un voyage, loin d'ici. Puis j'ai déménagé en ville, dans de petits appartements sans cagibi ni chambre froide, mais coquets et rien qu'à moi, enfin, presque rien qu'à moi. Plus de cloche ni de cris, le transport en commun, les longues marches dans une infinité de rues. Mais pas d'arbre où grimper, je n'étais plus une enfant. Je croyais qu'alors mes nausées du dimanche disparaîtraient pour de bon, loin dans mon ventre, que la lumière de la cuisine à cinq heures ne me donnerait plus le cafard, plus jamais, et qu'enfin, je ne rêverais plus de fuir à l'autre bout du monde. Je croyais à cela mieux qu'à Dieu, moi, l'athée du village. Regarde où j'en suis maintenant.

Si vous louez un jour l'appartement nord-est au rez-de-chaussée du 821 Brandon Avenue, sachez qu'un chat fantôme s'y promène le long des fenêtres, celle du salon en façade, tout particulièrement, et qui se trouve à gauche lorsque vous admirez l'édifice du dehors. Dans le confort de cet élégant *living room* de dix-huit pieds sur treize, vous vous calerez devant la télévision et une ombre furtive frôlera votre épaule. Vous la percevrez du coin de l'œil, et après plusieurs semaines passées à vous retourner, nonchalamment d'abord puis avec impatience, à ne voir ni chat ni phares dans la rue – alors même que sera éteint le téléviseur –, vous ferez des confidences à votre *roommate* qui aura vu, lui, certains soirs, une silhouette humaine hanter le corridor menant au vestibule.

Les rituels sont importants, même lorsqu'il s'agit de nettoyer la salle de bains. Henriette avait compris cela très tôt. Il ne lui avait pas fallu s'exercer de longues années, un instinct de ménagère s'était naturellement manifesté chez cette petite fille obéissante et serviable qui voulait tant faire plaisir à sa maman. En alternance avec le récurage de la cuisine et des chaudrons, elle s'attaquait de bon gré aux sanitaires à coups de torchon ou de brosse à cuvette, et ses doigts connaissaient par cœur les replis de la porcelaine et les caprices de la robinetterie. Voir briller le chrome et les miroirs la réjouissait à chaque séance de nettoyage, comme si le va-et-vient du chiffon contre la matière minérale faisait surgir de sous la fange des trésors abandonnés par des pirates. Un reflet lustré sur le rebord du lavabo éblouissait ses yeux de Cendrillon, bien qu'elle songeât davantage à séduire sa famille qu'à s'évader au bras d'un prince de pacotille. La baignoire sabot lui commandait depuis toujours une affection particulière, peut-être à cause de sa forme enveloppante, utérine, peut-être aussi de par la fonte émaillée qui maintenait à une température optimale l'eau séreuse tirée de leur vieux réservoir. Tous ces tuyaux de cuivre qui rampaient de la cave au grenier, perlés de condensation pendant les canicules, évoquaient la plomberie humaine, ses irrigations de sang et de lymphe comme ses vidanges d'urine et la sudation de la peau après l'effort. Dans les alcôves de sa conscience, Henriette devait être sensible à la métaphore ; l'échange nourricier des fluides entre la mère et son fœtus avait même pu, qui sait, lui venir à l'esprit. Penchée au-dessus du réceptacle ventru et laiteux, elle rinçait d'abord les parois glacées avec un jet d'eau bouillante, puis reposait la douchette sur un duo de robinets en croix, tel un combiné sur le support d'un téléphone à cadran. Puis elle savonnait avec soin la surface encrassée mais lisse comme un dos de femme, la main enfoncée dans un gant de toilette un peu râpé. Mystérieusement, elle n'aurait pas plus tard le désir d'être mère. Elle serait une domestique zélée et vertueuse. Elle saurait aussi passer l'éponge.

Tic-tic-tic-tic-tic-tic-tic... Ce n'est pas l'horloge du salon qu'on entend, ni la minuterie d'une bombe cachée à la cave derrière les pots de marinades que nous avons préparées dimanche pour sauver les derniers légumes du jardin. C'est le pincement des radiateurs qui se réveillent au crépuscule de l'été, avec la rentrée scolaire, l'odeur des cahiers neufs et autres poncifs qu'amène l'automne. J'aime l'automne. Le petit est en route, c'est une question de jours maintenant. Grand-maman nous a tricoté une jolie couverture pour les soirs où les radiateurs auront trop à faire. Les pièces sont grandes ici. Quand j'étais petite, la maison était centenaire et ses murs laissaient entrer le vent comme des passoires, disions-nous. La comparaison était usée mais vraie. Nous avions des calorifères à l'eau, en fonte peinte et repeinte maintes fois, et la chaleur s'en dégageait avec lenteur, on aurait dit des vieux qui se bercent et roupillent en alternance. Les claquements du métal, tordu par l'afflux d'eau bouillante, étaient vigoureux mais rares, pas comme le crépitement des plinthes électriques qui s'agitent avec la nervosité d'un lièvre en cavale. Tic-tic-tic-tic-tic-tic-tic... Mon ventre est bien rond, mûr comme une pomme tombée du pommier. Une question d'heures, peut-être, avant que naissent l'arrière-saison et le fruit béni de nos semailles.

Perdu dans les ramifications de son cerveau, Rémi souffre d'*utopisme,* une affection de l'hippocampe qui brouille les aires de localisation et renverse la compartimentation naturelle du cortex masculin. Chez la femme, l'organisation cérébrale relève du *loft* boulevard Saint-Laurent, les aires sont davantage ouvertes, tandis que l'homme tolère mal la perméabilité des frontières, chaque cellule a sa fonction. Le cas de Rémi étonne, et ses dessins de la ville aux murs communicants, tel un gigantesque appartement tentaculaire rivé aux quatre coins de l'île, témoignent d'un éclatement inusité du *mind mapping* nécessaire à la mémoire des lieux. Il n'existe pas de traitement connu à la maladie, à part peut-être le renforcement chez l'individu des concepts d'intimité et de fermeture, à moins que les symptômes ne traduisent un état permanent de mégaloclaustrophobie.

Les statuettes inca trônent sur la bibliothèque, entre un bouddha d'ivoire et le Rabbin de Chagall, pensifs. Une photo de famille occupe un coin inaperçu de la pièce, près du classeur, là où meurt en permanence le mouvement arqué de la porte. Des heures ont passé, comme à l'habitude. À mesure que le fouillis prolifère sur la table, les idées se placent et se concentrent, la plume s'allège, le cerveau pétille de clarté sous la lampe à faisceau. Une ombre fantomatique s'immisce dans ce qui pourrait devenir le bureau d'un ethnologue ou d'un historien des religions. Il n'en est rien. Sous les artefacts, un traité de biochimie répond en ligne droite aux actes d'un colloque ayant eu pour thème «les mécanismes neuroniques à l'œuvre dans la création de l'effet mémoire». Colligés, eux, sous le cliché polaroïd d'une famille nombreuse.

« Tiens, c'est l'heure bleue. » Elle avait dit cela avec douceur, des souvenirs plein les yeux, alors que nous servions le café sur la terrasse. Les mazagrans lui rappelaient sans doute l'Afrique, bien qu'elle n'y fût jamais allée, et l'amertume du *caoua* nous transportait ailleurs. N'importe où. Car contrairement au tilleul de tante Léonie, les grains verts ne provenaient pas de Combray mais de Java ou du Brésil, de la Martinique ou de la Côte d'Ivoire ; seuls la mouture et le « corsé » de la torréfaction avaient mérité, devant l'étalage, l'attention de nos cerveaux pragmatiques. Sur la terrasse avec vue, elle parcourait la planète tandis que l'heure tournait au bleu, soixante-douze degrés et des poussières à l'ouest de Greenwich. Des arômes d'anis et de vanille flottaient, mêlés de néroli, Guerlain lui dérobait l'âme ce soir-là.

Rose. Comme les bonbons de tante Lilas. Elle avait aussi une perruche citronnée, comme les vieilles personnes qui n'ont pas eu d'enfants, et ça ne sentait pas bon chez elle, ni le thym ni la lavande – les vieux sentent le vieux, qu'on se le tienne pour dit. Elle avait eu autrefois une sœur cadette qui, comme elle, portait un nom de fleur. Marguerite la petite morte, consacrée à la Sainte Vierge. Lilas était restée la seule fleur de la maison depuis. Vers l'âge de sept ans, les fièvres l'avaient épargnée au prix d'un strabisme qui nous indisposait tous, nous, les enfants de sa nièce chérie, mais sa candeur savait toucher la nôtre, elle avait été vendeuse de bonbons. Mal mariée, indécemment fidèle à son alliance, elle vivait séparée de corps, à la fois pétulante et fanée dans sa robe de pékin, la mèche bleuie et l'œil allègre derrière des verres d'un autre âge. Durant nos visites, je passais de longues minutes à contempler, au bas de la vitrine à bibelots, le regard amoureux que lançait au ramoneur la bergère d'Andersen, et je ployais comme elle sous la férule du satyre et du vieux Chinois de chez Henry Birks & Sons. Sur la table à café, des chrysanthèmes reposaient dans un vase, à côté d'une bonbonnière gorgée de pastilles à la fraise, les préférées de ma mère.

La camériste ne parut point ce matin-là pour la toilette de l'Infante, mais peu s'en inquiétèrent. Dans les corridors, on chuchotait qu'elle ne verrouillait pas la porte de sa chambre, mais les langues succombaient à la médisance plus facilement qu'une serrure sous la menace d'un pied-de-biche. Agnès avait de la beauté, et ce jardin qu'on lui avait cambriolé pendant la nuit, toutes les nuits. Peu à peu, la chambre se vidait de ses biens, de ses secrets, dépossédée et volée de ses moindres possessions. Quelqu'un y pénétrait chaque nuit, par effraction, dans une violence sourde que le palais ne voulait pas entendre. Ce matin-là, l'Infante attendit en vain, car il ne restait plus rien à l'intérieur.

Ils voulaient casser maison – enfin, ils y songeaient. C'était toujours mieux que de casser sa pipe, mais Irène, tu ne vas pas en mourir, quand même. Qu'est-ce que tu en sais? Ma tumeur peut revenir, ou ce sera le cœur à la fin, mon amour. Autant mourir dans mon lit. Mais je ne veux pas que tu partes, Irène, je serai seul ici, et tu seras partout sans y être. Vendons, ce sera déjà ça de perdu, il faut s'habituer. Et si nous nous quittions avant la fin? Tu es folle, Irène, je suis fou de toi. Ne parle pas de malheur. Mais le malheur est déjà là, il est venu si vite. Déménage de moi et de nos souvenirs, puisque tu veux partir d'ici. Ce sera déjà ça de perdu, quand viendra ton heure à toi. Je t'aime tant.

Entre le Tyvek et le pare-vapeur, la panthère rose revêt son manteau de laine, été comme hiver, sur un air de jazz bien connu. La maison a besoin de graisse contre l'ossature, mais on ne la fait pas maigrir aux temps chauds. Elle hiberne à l'année longue, grande ourse maternelle veillant sur ses petits.

J'ai connu un œil autrefois qui se contentait de voir, et que la ligne fascinait, raide ou sinueuse, rampante ou verticale, sans qu'aucun attribut cherchât à en qualifier la perception. Les maisons n'étaient pour lui qu'une intrication de plans et d'arêtes, de volumes peut-être, si la notion d'espace ne lui avait pas échappé. Peut-on en effet s'attarder aux contours et ne pas saisir la plénitude intangible qu'ils définissent en la contenant? Mais l'œil n'était ni *on* ni *je,* les choses se dressaient devant lui, indifférenciées, simplement *là*. Les rayons de son iris chatoyaient au soleil comme les tiges de blé dans les champs ou les jambages d'acier dans un chantier de la ville, et hors les mots, la lumière châtiait les dessins, en toute impunité.

La marquise était fêlée de toutes parts, et la pluie faisait fondre sous son aile squelettique les fards démodés de ses anciens courtisans. Le vent avait tourné, imperceptiblement. Nul n'avait senti les failles se répandre dans ses jupes de verre, ni l'air du temps s'affranchir des conventions. L'édifice avait vieilli, et avec lui ce fleuron élégant d'une architecture glorieuse. À peine inspirait-elle aux passants de la nostalgie tant la façade qu'elle avait su animer autrefois croulait sous la honte des pierres noircies et des cuivres oxydés. Des scellés entravaient la porte grillagée qu'elle dominait aux beaux jours et qui n'était plus, elle aussi, qu'une carcasse humiliée par la rouille et les graffitis. Ainsi triomphait la modernité insouciante.

Hier, une maison a pris feu dans la colline, de l'autre côté du lac, mais les pompiers sont en grève à Saint-Michel-de-l'Apocalypse.

Il disait *Champlain* comme Proust aurait écrit *Combray,* et c'était une belle maison que nous habitions alors, les champs devant et le fleuve au fond de la cour. Je l'ai revue hier, vieillie, la peinture écaillée et la véranda boiteuse, avec ses jalousies rabattues à l'intérieur comme avant, lorsque les nuits étaient froides et qu'on emprisonnait la chaleur dans les chambres. Mon père devait chaque automne installer, en funambule des toitures, les doubles fenêtres dont mon frère et moi fixions les crochets aux châssis à l'aide d'un petit marteau. Au grand désespoir de ma mère qui s'éclipsait ou dont il profitait de l'absence pour attaquer ces travaux, mon père nous confiait le câble de sécurité qui le retenait, pieds glissant sur la tôle, au-dessus de la rue et du passage des voitures. Champlain exigeait mais donnait beaucoup en retour. Je ne sais pas si nous nous remettrons un jour de l'avoir perdue.

Ils avaient eux-mêmes dessiné les plans, révisés par un technicien, et s'étaient lancés dans la construction d'un gentil *cottage* au toit rouge qui devait rappeler la demeure ancestrale où la famille avait emménagé, trente ans plus tôt, sur les rives du Saint-Laurent. Les autres n'avaient pas aimé. La répartition des pièces, d'abord, puis les matériaux, moins nobles, et finalement le site, jugé sauvage et sans beauté. La grand-mère avait tranché, le résultat était médiocre, et des larmes avaient coulé. Quelques mois auparavant, la maison qu'ils avaient achetée pour le printemps avait brûlé de toutes ses planches et si violemment qu'on en parle encore dans la région. Une histoire triste. Empathiques, les autres avaient comparé la maison neuve à l'ancienne, et disaient de la maison perdue qu'elle avait été tellement plus belle. Cette idée de libérer l'étage pour en faire un grand studio bibliothèque n'avait plu à personne. Et les chambres au rez-de-chaussée étaient bien trop petites, les mouches noires gâchaient l'été, il n'y avait pas de sous-sol, et où donc les enfants trouveraient-ils des amis dans ce rang perdu ? Bien sûr, des parents sans vergogne avaient parié leur capital et leur chemise sur le malheur de leur progéniture. Il y a des gens, vous dis-je, que le bonheur des autres irrite au plus haut point.

Ça manquait littéralement de sel ici, et Julie partit comme à l'habitude se réapprovisionner au McDonald's du coin. Pas facile, la vie d'étudiante, on te l'avait bien dit… Julie ne voyait dans la salière vide qu'un pépin d'ordre logistique, et la nudité des murs de son deux-pièces ne la gênait pas outre mesure. Ses parents, au contraire, lisaient dans ce dépouillement matériel la pauvreté de leur fille, et le germe d'une défaillance morale à venir : qui sait où te mèneront les privations incessantes ? Maman, j'ai le droit de ne rien accrocher aux murs, c'est plutôt zen, tu ne trouves pas ? Maman ne trouvait rien du tout, ce manque de coquetterie la dépassait. À la maison, les murs étaient couverts de toiles, d'encres et de sérigraphies d'artistes montants. Le bon goût avait occupé un espace crucial dans l'éducation de Julie, et cette obstination à vivre dans la laideur ne lui ressemblait pas du tout, ma fille, je ne te reconnais plus ! Mais seule Julie savait pourquoi Julie gardait ses murs intacts. Sa vie ne regardait personne, elle vivait sans attaches et avait la jeunesse au corps. Et aucun besoin, aucun vraiment, de fixer des clous, des broquettes ou des accroche-plats qui ne bougeraient plus, et qui diraient à tous ce qu'elle aime et ce qu'elle est. Franchement, ça lui semblait impudique et menaçant, l'affaire des clous, elle toute fraîche éclose à vingt ans et sans corset – à vrai dire, elle ne portait pas de soutien-gorge.

La vie est dure sans confiture, disait mon père, le sourire aux lèvres. Je n'ai jamais saisi d'où lui venait cet aphorisme un peu loufoque, lui qui le tenait en apparence de ma grand-mère mais qui parlait le *Schwyzertütsch* à la maison avant de quitter Hochdorf pour la Belgique. L'avait-il traduit, adapté ? La rime m'intrigue encore et nous faisait rire, de même que l'enthousiasme juvénile qu'il manifestait en prononçant ces quelques mots, la main à la pâte, toujours, en train d'engraisser le compost avec sa récolte de feuilles mortes ou de glacer avec un doigt de rhum ses fabuleux biscuits *écus*. Il s'attelait à toutes les corvées de nature domestique, charriant ses muscles volontaires et son trop-plein d'insuline de la cave au grenier, puis de la rue au talus qui descendait vers le fleuve. C'était là son domaine, son fief, le pays qu'il s'était bâti pour remplacer le sien. Nous ne verrions pas de montagnes à l'arrière-plan ni de bourgs médiévaux à quelques lieux de nos terres, mais il était chez lui au jardin comme à la cuisine, fendant le bois aux temps froids et mitonnant la soupe sur le poêle qu'il alimentait en combustible avec la régularité d'un métronome. Il trimait dur aux quatre coins du quotidien, et prêchait à qui voulait l'entendre les vertus de la routine. La sacro-sainte routine. Disciple de Voltaire, séduit par la Révolution tranquille, il était venu défricher les esprits et la terre tout en fondant une famille, la nôtre, et l'on pourrait conclure qu'il trouva son bonheur dans la combinaison de deux postures antithétiques : accueillir en seigneur et travailler en vassal. J'ai longtemps cru que sa jovialité pouvait transcender l'épreuve, et ce n'était pas la vente de la maison qui allait abattre mon père. Mais le chêne s'était enraciné, je ne pensais pas qu'il aimait tant la confiture.

On entrait ici comme dans un moulin, et encore, je ne sais pas si le moulin de l'expression était à ce point ouvert à tout venant. Chacun avait sa clef, le vent montait par bouffées de campagne dans l'escalier qui jouait l'atrium, et une musique s'échappait du meuble stéréo, perpétuelle, à côté des draps propres et des petits chocolats emballés de dorure qu'on découvrait sur l'oreiller. On savait les toilettes impeccables et les chaises complaisantes, le frigo prodigue de ses vivres, et l'on s'improvisait convive au moindre signe d'appétit ou de fatigue, car tout dans la maison appelait à rester, les fauteuils, les chambres, les nombreux lits en soupente et les sofas convertibles ; la table de trois mètres et l'argenterie en tout temps ; oui, on s'y sentait bien au-delà de chez soi, ailleurs, loin, et surtout ici, alors que l'hôtesse aurait voulu changer les serrures, habiter à côté pour y cacher sa honte et s'envelopper de nacre, parfaitement anonyme. Mais on entrait chez elle comme dans un moulin, le plus accueillant du monde, une *piazza* à ciel ouvert dans une forêt de tilleuls.

L a cuisine était fort encombrée, on aurait dit un atelier de peintre tant les couleurs semblaient jaillir en désordre de cet amas de nourriture et d'ustensiles aux reflets ternis par les gras et les cuissons successives. C'était la pièce de la maison où les pulsions créatrices s'exprimaient avec le plus de vigueur, qu'on soit artiste ou non, et je me souviens encore des fêtes qu'on y préparait sous l'influence des vapeurs délectables et de l'adrénaline que le désir de plaire aux papilles de nos convives faisait couler dans nos veines affairées. Le temps manquait toujours, mais une confiance viscérale animait le ballet de nos gestes et de nos déplacements. Le citron au zeste sapide s'activait sur la râpe tandis que nos pas nous menaient d'un point chaud à l'autre de cet espace où explosaient les plaisirs de la bonne chère à venir. Nous étions sages et goûtions juste ce qu'il fallait. Une pincée de muscade manquait par-ci et une larme de vodka par-là : nous aurions bien le temps plus tard d'apprécier le tableau dans son ensemble. C'est du moins ce qu'un optimisme candide nous faisait croire à chacune de ces mises en scène, mais l'amour du public nous rendait insensibles, le moment venu, aux élans de notre estomac. La salle à manger n'était pas notre zone de confort, comme on dit au sens figuré, et je me terre encore derrière la batterie de casseroles et l'infanterie de couteaux qui jonchent les comptoirs quand je reçois parents et amis pour célébrer un anniversaire ou pour dompter le débordement pur et simple de mes instincts nourriciers.

Une fenêtre donnant sur la cour intérieure, entrouverte. Un souffle matinal agite le long rideau de mousseline et fait ondoyer l'eau des verres posés en tête-à-tête. C'est jour de fête, ailleurs. Ici, le silence, le rien qui rassure. À peine un filet d'air à travers la mousseline, inaperçu. Impossible. Il y a longtemps que la vie n'est plus dans cette chambre, longtemps que la mousseline se soulève, insensible, sourde au vent du matin comme au vent du soir. La fête est ailleurs, pour toujours. L'été pénètre la mousseline et se baigne dans les verres des amoureux transis par la haine. L'été suspendu, comme un jardin de Babylone. Pour toujours.

Vêtus de peaux de rennes, à la jaune lueur d'un troupeau de torches et de lampes à graisse, les peintres emmènent dans la grotte les chasses du dehors, des aurochs ravivés par des ocres au pochoir, et des dos de mammouths croqués au manganèse. Sur les murs de calcaire galopent à l'hématite des chevaux, des bisons et des mégacéros. Würm est aux portes, et les peintres hissent leurs échafaudages au-dessus de la frise des chevaux chinois. Alors, la sagaie transperce des chamanes mêlés de lions et de lynx, envoûtant les esprits au fond des sanctuaires, et des signes, des symboles cohabitent avec les images des bêtes. C'est en Dordogne moderne, dans le fourneau du Diable ou dans le ventre de Madeleine, que renaît le désir des écritures mères.

Glasgow, avril 1938. Mon grand-père Édouard, lui aussi architecte, avait participé à la conception des plans du pavillon canadien qu'on devait ériger à Bellahouston Park, le site choisi pour la future Exposition qui allait consolider, à la veille de la guerre, les progrès et richesses de l'Empire britannique, et c'est pour en superviser le chantier que la firme dont il était l'un des associés le dépêcha en Écosse avec quatre de ses collègues. En tant que dominion, le Canada avait son propre pavillon, et la tâche de mon grand-père allait durer plusieurs mois, ce qui lui fit préférer à une chambre d'hôtel plus onéreuse la location d'une garçonnière dans High Street, tout près du champ de bataille où William « Braveheart » Wallace et ses Highlanders avaient infligé une cuisante défaite aux Anglais. Il prenait ses repas le soir chez sa logeuse, qu'il avait dépeinte à ma grand-mère, dans l'une de ses nombreuses lettres, sous les traits d'une Mrs Hudson ayant troqué chignon et tablier contre un turban dernier cri et un fume-cigarette qu'elle n'allumait jamais. Nous n'avons jamais retrouvé, par contre, les photos qu'il avait prises durant son séjour ; seule sa correspondance témoigne encore de sa perception de la ville et de ses habitants. Bien qu'utile sur le plan professionnel, la photographie lui inspirait un scepticisme réactionnaire, il s'en méfiait tout particulièrement lorsque venait le temps de *mettre en boîte* ses souvenirs. Il avait élaboré cette théorie selon laquelle le génie du lieu s'évanouit au profit de l'image, un malaise que j'ai moi-même éprouvé lors de mon passage à l'Exposition de Séville. Il ne m'est resté de mes impressions esthétiques que des espaces objectivés par ma caméra, lignes et volumes spectaculaires, certes, mais prisonniers du cadrage et de la profondeur de champ. Je pense également aux clichés qui accablent les enfants dès la naissance et qui les poursuivent d'un moment de vérité à l'autre, les jours d'anniversaire ou de visite au zoo. En les capturant sur la pellicule, on commence à oublier, la mémoire est si capricieuse. Ma grand-mère répétait souvent que mon grand-père avait réservé une place sur le Queen Mary pour son retour à Montréal, et je me suis toujours demandé si le célèbre paquebot honorait à titre posthume Mary Queen of Scots qui perdit son trône et sa couronne en 1567. Probablement pas. Quoi qu'il en soit, une rupture d'anévrisme le terrassa quelques jours avant la cérémonie d'ouverture que présidèrent, le 3 mai, leurs majestés George VI et celle qu'on allait bientôt appeler la Reine Mère.

Midi moins le quart, une volée d'escalier s'élance hors de sa cage et franchit les balustres du deuxième, sous l'œil étonné de la main courante.

Au creux des interstices et de l'inhabitable, là où le vide semble squatter en lui-même, une cité foisonne aux dépens de l'oubli, acariens, moisissures, procaryotes et autres saprophytes que l'échelle humaine soustrait à nos sens sans nous en épargner la virulence. Des poussières ont passé, et à l'image de ce corps envahi peu à peu par des cellules en dégénérescence, toujours plus nombreuses et inconnues de sa jeunesse, les murs ceignent de leurs torses vieillissants des New Delhi infrarouges et surpeuplées, le ciel de Mexico et toute une biosphère d'air vicié emplissant les huit cents mètres cubes dans lesquels vous imaginiez vivre à quatre paires de poumons, candides comme vous l'êtes.

D'abord une fourmi, et puis deux, bientôt douze... Elles envahissent de leurs pattes laborieuses et noires le carrelage de la cuisine, puis l'évier en inox, les comptoirs laminés, la hotte électrique et le plateau de fruits posé là, sur la desserte. Armées de leur témérité de parasites et du gonflement journalier de leurs rangs, elles s'attaquent aux citadelles que sont les armoires et les dépenses, indifférentes à l'inhospitalité de leurs hôtes. Jusqu'à ce jour, les charnières autofermantes ont résisté, comme le village d'Astérix, et un bataillon d'épingles à linge scellent les emballages de riz, d'abricots ou de cassonade antillaise. Peut-être tomberont-elles comme Rome devant les Barbares. C'est l'hiver, pourtant. Le maître des lieux soumet l'hypothèse, dite « cryogénique », selon laquelle le ferment de cette immigration clandestine proviendrait du transit d'œufs gelés *via* le bois de chauffage. Ont-elles élu fourmilière dans le giron domestique, entre les colombages et la laine minérale? Le long des plinthes en pin sylvestre? C'est la poubelle ou la neige, pour les zélées comme pour les invalides. Après tout, chérie, nous ne sommes pas un camp de réfugiés!

Ah! le silence bucolique de la campagne, l'été, ses bruissements de feuilles et la cigale poussant par intervalles sa longue plainte, dans le soleil des verges d'or! Le grand pic assomme les troncs morts au son du *woodblock,* puis s'envole, la proie au bec. Il relaie la corneille, le carouge et la mouette qui plane à tous les échos, au fond du domaine, là-bas, dans l'estuaire où Angéline baigne son innocence. Avant le malheur, les fenêtres bouches bées, Valriant écoute l'horizon derrière les vagues qui roulent et moussent en espérant la marée, Valriant qui pleure à présent, au reflux des eaux. Les enfants crient dans la piscine et les tondeuses bourdonnent à la ronde, les guêpes courent les barbecues, et l'on entend s'entrechoquer les couverts dans la cuisine des voisins, quand la banlieue ouvre toute grande sa porte-patio.

C'est la journée des poubelles, vivent les poubelles! Voilà ce que pensait l'ami Jacques en jetant au rebut ses pinceaux à moitié chauves et sa fourche rouillée. Mal lui en prit, on ne pulvérise pas ses vieux débris non recyclables; on les enfouit à la brunante, pour un temps.

Au loin j'entends la plainte des cornes de brume, le fleuve tapi sous les vapeurs, aveugle et froid. Des lames tranchent le flanc des bateaux, au cœur du chenal, alors qu'un feu crépite dans mon âtre, je suis seule, octobre s'en va. À une encablure de mon fauteuil, la terre gémit et mon pays devient tout petit sous le brouillard, le fleuve ne va nulle part et j'habite une île dans la campagne désolée, suspendue dans son dimanche comme le crachin dans l'air du temps. La cheminée n'a pas de manteau, et mon passé taché de créosote, inflammable de tous ses feux humides et sans joie, agonise. Flambe et s'éteint. Avez-vous remarqué le phare au-delà de la berge? Il ne brille plus la nuit, ni les jours de naufrage. Les harponneurs ont déserté la rive depuis longtemps.

Derrière les jalousies de leur hôtel particulier, on devinait des êtres épris de dévotion et dont la société aurait fait fléchir les jansénistes de ce monde. Ils s'abandonnaient sans gêne aux grâces de la solitude, naufragés bienheureux consacrant leurs jours à l'amour du divin, et leurs nuits, à son étude scrupuleuse. Ils se révélaient austères dans la pratique, assidus, mortifiaient la chair en des douleurs et des extases miraculeuses. Une chapelle avait été aménagée au cœur de l'édifice, secrète, cachée par des portes invisibles qui trompaient l'œil des domestiques. Là se déroulaient des sacrifices dont seules les cloisons auraient pu témoigner, et dont les mystères atteignaient sans doute à la félicité du paradis perdu.

Céleste regardait par la fenêtre de sa chambre. La vitre était en mica, et son père n'avait pas installé de mobilier à l'intérieur. Une photo servait à reconnaître chacune des chambres d'enfants. La sienne donnait sur l'ouest, et un arbre étirait ses branches jusqu'à elle, mais dans la maquette, la plate-forme s'arrêtait avant les troncs et un tapis de feutrine imitait la pelouse. Bien qu'elle fît l'effort d'y voir sa maison changée en maison de poupée, Céleste comprenait que son père avait mis tout son talent et du temps qu'il n'avait pas dans une demeure inhabitable. De l'extérieur, on n'y voyait que du feu, et du carton bien découpé.

Quand le maréchal des logis eut terminé sa ronde, un soir d'encre tombait sur le campement meurtri par l'effort du dernier assaut. Grandmaison écrivait à sa belle des mots tendres qu'elle attendrait en vain, et les chevaux respiraient bruyamment, inquiets, dans l'espace oppressant qui les menaçait en l'absence de lumière. Croqueuse d'hommes blottis contre le flanc des ménagères, la guerre l'a appelé, et le voilà échoué sur la plaine, cavalier en exil traquant ses frères étrangers, des garçons comme lui ravis à leurs femmes, à leurs chambres, à leur feu dans l'âtre. La pierre ancrée dans les champs saluait les pommiers séculaires, mais les gelées brouillent sa mémoire, la pierre est loin désormais. Bientôt la plume se tarira, et dans sa miséricorde, la nuit enveloppera le poète de sa plus chaude couverture.

Au milieu d'un square ceinturé de briques et longeant Westover Avenue, dans le quartier résidentiel de West Ghent, un chêne musclé dont les branches couvent un étang d'ombre sous leur feuillage apparaît, en noir et blanc après la pluie, entouré de jeux que les enfants délaissent aux chaleurs, alors qu'aux grilles, une plaque de bronze invite à la lecture.

This tree is dedicated as a memorial to the sons
of Norfolk
who died for their country in the World War.
Grim Death has vanished,
leaving in its stead,
the shining glory of the
living dead.

Il avait écrit dans une lettre qu'elle n'avait pas lue, *ta maison ne sera pas mon cercueil,* puis il s'était tué ailleurs, à l'orée du village. Le sous-bois couvait bolets et girolles embaumant la pluie, un parfum suave dans son exhalaison mélancolique, et de grands paniers d'osier s'étaient gavés de leur chair à l'heure de la récolte, loin des amanites.

Elle avait cuisiné dans sa tête, pour Noël, une maison en pain d'épices au toit givré de glace à la vanille. En réalité, la crème fouettée offrait une meilleure tenue, et un glaçage au beurre davantage, mais il lui plaisait d'intégrer les matériaux de son choix sans que les structures en soient affectées. Une recette l'intéressait dans la mesure où elle se laissait subvertir, elle devait susciter le vagabondage vers des mets qu'elle aurait pu être, si. Si les œufs montés en neige n'étaient pas des œufs, et si le massepain goûtait les dattes plutôt que les amandes. Sa maison en pain d'épices ne tolérait ni levure ni calculs, elle avait bien assez des charges de la vie qui font fléchir le faîte jusqu'à l'effondrement. C'était Noël, et le luxe d'inventer venait avec les cadeaux, en attendant le Boxing Day.

La petite chaumière aux murs replets avait du mal à respirer, le crépi se lézardait à vue d'œil, cédant à l'enflure. On aurait dit Alice prisonnière dans la maison du Lapin blanc, celui qui est toujours en retard. L'hygroscope virait au rose, et les boiseries s'étaient gorgées de la moiteur ambiante à tel point que les portes ne cadraient plus dans les embrasures. L'huissier viendrait, à coup sûr. *In the meantime, Alice would have thrown herself out of the dwelling's womb, though not without tearing and pain. As if a set of Russian dolls were to be confined, and the girl homeless in the nature of things.* Un vide intense prit d'assaut la matrice.

Entre la moustiquaire et le châssis d'une fenêtre, l'araignée tricote et campe à la frontière de nos salons, discrète, impudente, partout chez elle dans cet îlot de soie qui lui tient lieu de garde-manger.

Il y avait une seule fenêtre. Dehors, les toits et le dôme du Sacré-Cœur, tout petit. Le ménage venait d'être fait, mais les serviettes étaient mal pliées, d'un blanc suspect. Le franc avait grimpé d'un coup, et c'est tout ce qu'ils avaient pu s'offrir, six étages sans ascenseur et les toilettes au bout du corridor. On pouvait jouir de la vue, par contre, dans cette ancienne chambre de bonne, et la télévision importait la couleur locale à défaut de brocart ou de baldaquin Louis XIII. Le style vivait au musée, après tout. Ils avaient six rouleaux de pellicule pour en immortaliser l'éclat et ramener Paris en douce dans leur sous-sol fini de Ville d'Anjou. En espérant que Benjamin nourrisse le chat.

Il a jeté pêle-mêle dans la lessiveuse les caleçons de la semaine et son pyjama rayé, celui qu'il porte à l'occasion. L'eau est glaciale et mousse peu, c'est l'eau de la ville, alcaline. En avril, ses bras blancs faisaient le tri du linge et des habits, empilaient le pâle et le délicat. Javellisaient les guenilles. La famille, c'est elle, ses mains laiteuses et la mécanique du détail, le geste qui prend soin. Limpide. Octobre est là, sans elle, un homme au milieu de la buanderie. Le désordre autour de lui, ni pile ni trempage, le cycle à l'eau froide et pas d'assouplissant. Il verse des granules de savon dans la cuve, mais les taches s'incrustent, collent aux collets. Il ne les voit plus. Il ne voit qu'elle et le grand trou de la cuve qui engloutit le tissu, les masques de sa nudité. Ici, le voile est lavé, à peine. Elle avait l'œil clair des louves au printemps.

On dit *ruiler* les joints, et celui qui ruile est plâtrier, croyez-le ou non, ou *staffeur* s'il s'agit de restauration. On ne va pas en faire un plat, allez, je sais bien que vous ne prenez pas mon métier au sérieux. Je gâche le plâtre, joue de la taloche et fais la grue sur mes échasses... Mais on n'est pas au cirque ici, ni à la comédie malgré mes airs de Pierrot. Je maquille le Gyproc, moi, sans plus, je bouche des trous. Un petit rôle de rien du tout, mais avouez, vous seriez bien embêtés sans moi, pas vrai? On verrait tout, la vérité, comment c'est fait, tout, ce serait terrible! J'aime bien le crémage sur le gâteau, moi. Je sais pas, c'est ce qui me donne le goût, pas vous?

Les murs du petit salon étaient tendus de velours bleu de Prusse et contenaient avec peine les décibels que lançait contre l'étoffe le délicieux quatuor que l'on avait convié pour l'occasion. Les dames étaient assises sur des sofas rocaille, les mains sur les genoux, et les messieurs se tenaient debout près des ouvertures, cravatés et raides comme des hussards. Une fine couche d'empois recouvrait cette assistance dont la politesse mécanique contrastait avec la souplesse de la partition. On jouait le sixième des *Quatuors* dédiés à Haydn, où Mozart amalgame des humeurs que les théoriciens ont qualifiées de dissonantes. Incrustées dans les stucs qui ornaient le plafond, des allégories orphiques aux couleurs vives veillaient sur la représentation, et le frottement des archets avait pour toile de fond le silence immobile de l'auditoire. C'est alors que survint une brisure dans la ligne mélodique, qu'une langueur défaillante troubla l'exécution du motif en doubles croches. En attaquant le *finale allegro,* un des violonistes sentit une crispation gagner prestement le bout de ses doigts, et au terme d'une coda épileptique et brève, il s'effondra. Soupirs. Empalé par le lutrin qu'il avait entraîné dans sa chute, le corps répandait sur le parquet un fluide sombre et cramoisi, sans toutefois que fussent éclaboussées, comme par miracle, les figurines en porcelaine de Saxe qu'on avait exhibées pour l'occasion.

On pendait la crémaillère à quelques numéros de là, un samedi de juin, car des pénates venus de l'est de la ville emménageaient dans ce rez-de-chaussée un peu caduc, à l'aube de la retraite, où le trottoir menaçait le seuil comme les points jaunes du métro un passager téméraire, et dont la porte implorait doucement, ciselée en son tympan, *Que Dieu bénisse notre foyer*. Sainte-Cunégonde veillait sur la moralité de ses ouailles et célébrait toujours, dans le giron de sa nef en bonbonnière, la communion des petites filles habillées de blanc. Les loyers de la rue avaient jadis atteint la somme de dix-huit piastres par mois, le labeur d'une semaine. Mes grands-parents y avaient été heureux jusqu'à l'adolescence de ma mère, derrière le briquetage usé et repeint de rouge brique, mais l'exiguïté du lieu les avait chassés plus à l'ouest après la naissance du petit Gilles. Un jardinet pimenté de pivoines et de lilas allait remplacer, aux abords du solstice, la tôle ondulée de hangars aujourd'hui démolis, et la vue qu'on avait de la cuisine mettrait de l'espace, enfin, entre la table et la ruelle, entre le pain et l'égout. Pourtant, le souvenir de ce premier logis qui avait abrité les meilleures années de son mariage emplissait de joie les yeux vacillants de ma grand-mère, et c'est avec une curiosité douce-amère qu'elle s'enquérait des hôtes qui y vivaient à leur tour un passage sombre ou lumineux de leur existence.

Au hasard du *Petit Robert,* j'appris que des voûtes romaines avaient engendré la fornication à la suite de pratiques étymologiques étranges et indignes du latin d'église.

The fifteen dollar chair, c'est ainsi que l'avait désignée le commis du *Showcase,* une brocante de mobilier et d'accessoires industriels, parfois scéniques, étalés sur cinq étages au centre de Norfolk, Virginia. Nous avions surmonté ce jour-là mes nausées et la chaleur tropicale pour y dénicher une table à café un peu haute sur pattes, ancien présentoir chez un tailleur de Plume Street, et les cintres en bois aux courbes généreuses, patinées par les habits des vacanciers, provenaient du chic Cavalier Hotel de Virginia Beach. Je n'ai pas su, toutefois, où avait servi cette chaise d'inspiration Biedermeier ; elle avait abouti dans ce grand magasin, orpheline et sans vice apparent, un brin mystérieuse, dans le but manifeste qu'un client la remarquât pour l'absoudre, moyennant quinze malheureux billets, de son passé et de l'usage public. J'allais en faire ma favorite, ma chaise de travail d'où je vous écris aujourd'hui, près de la fenêtre, et je ressens pour elle un attachement imprévu, comme si un lien antérieur nous avait unies déjà et que je l'avais reconnue au détour d'une allée.

Simone aimait la confiture aux fruits rouges. Sur un croissant frais, quel délice! Elle aimait aussi la gelée de pommes qu'elle et son papa avaient préparée cet automne, un dimanche matin tout gris. C'était pour faire plaisir à grand-mère Angéline qui s'ennuyait dans son nouvel appartement. Elle n'avait plus de jardin fleuri depuis la mort de grand-père Isidore, ni de maisonnette aux volets rouges. Simone rêvait de retourner au village où habitaient grand-père et grand-mère avant que la mort ne les sépare. Grand-père avait été très malade, il souffrait tous les jours. Ceux qui l'aimaient étaient tristes, et grand-mère avait souhaité qu'il parte doucement dans la nuit. Son vœu s'était réalisé à la fin de l'été.

Simone n'avait pas eu le temps d'amasser beaucoup de souvenirs de la maisonnette et du jardin fleuri. Elle se rappelait la tendresse de grand-père et les clowneries du chien Victor. Au fond du jardin, il y avait une haie de framboisiers et des pivoines habitées par les fourmis. Quand on entrait dans la maison, ça sentait toujours la nourriture. Papa préférait les plats salés et les bonnes sauces que lui servait grand-mère

Angéline, qui était sa grand-maman à lui et la maman de sa maman. Simone, elle, se régalait des desserts qu'elles préparaient ensemble durant l'après-midi. Grand-mère gâtait papa et Simone avec des recettes qu'elle ne trouvait pas dans les livres. Un peu d'imagination lui suffisait, disait-elle, mais le secret venait aussi de sa longue expérience.

Un jour, Simone se laissa tenter par l'armoire aux confitures. C'était une belle armoire en bois de sapin que grand-père Isidore avait fabriquée de ses grosses mains, comme plusieurs des meubles de la maisonnette. Ébéniste, il avait bien connu le bois. L'armoire vivait dans la cuisine, et grand-mère rangeait derrière les portes sculptées par grand-père tous ses pots de confitures, ceux qu'elle préparait au fil des saisons et ceux qu'on lui offrait en cadeau. Comme Simone, grand-mère Angéline adorait la confiture. Elle collectionnait aussi les gelées et les marmelades, sans oublier les miels de trèfle, de tilleul ou de sarrasin. Il faisait bon prendre le petit-déjeuner dans la maisonnette aux volets rouges, rouges comme des groseilles bien mûres !

Mais Simone n'aimait pas la confiture qu'au petit-déjeuner. Elle en demandait toujours à l'heure de la collation. Vers trois heures, grand-mère Angéline était au jardin en train de cueillir des pivoines. Elle les choisissait avec soin, des rose pâle, des rouges et des blanches qu'elle mettait en bouquet. Cela prenait du temps! Simone eut la fringale pendant que grand-mère travaillait dans les fleurs. Doucement, elle ouvrit l'armoire en bois de sapin. Le choix était grand, trop grand pour une tartine, et Simone eut une idée. Pendant que grand-mère inventait de la beauté en mélangeant les couleurs, la petite-fille cueillit dans l'armoire les saveurs qu'elle préférait. Cerises, groseilles, framboises, fraises et rhubarbe… Quel régal… Mais Simone avait les bras trop petits pour un si gros fardeau. Entre l'armoire et la table de la cuisine, le pot de confiture aux framboises lui échappa et se brisa par terre.

Simone n'était pas toujours sage. Il y avait mille morceaux de verre perdus sur le carrelage de la cuisine, et du rouge éclaboussé sur les portes de l'armoire. Grand-père Isidore ne serait pas content, grand-mère non plus! Simone allait blesser ses petits doigts d'enfant en ramassant le verre quand Victor entra en coup de vent dans la cuisine. Le tonnerre du verre brisé avait effrayé Victor, et ses jappements alertaient maintenant les adultes.

Grand-mère avait un cœur d'or, même si la confiture aux framboises qui souillait le plancher était la plus exquise de sa collection. Les framboisiers du jardin avaient donné de bons fruits cet été-là. Simone avait promis de remplacer un jour la confiture perdue, et grand-mère avait tout pardonné ; grand-père aussi. Noël approchait, fit-elle remarquer à papa dans la voiture qui les emmenait à l'appartement de grand-mère Angéline. Il faudrait tenir promesse.

Un buffet Renaissance hante le réfectoire des Sœurs de la Charité depuis la fondation de la congrégation, en 1849. Mère Mallet ne crut pas à la légende qui circulait alors à l'Orphelinat des Glacis lorsqu'elle s'y installa avec cinq de ses compagnes pour soulager les miséreux de la ville de Québec. Il lui semblait farfelu que le buffet pût avoir emmagasiné, lors de son usage à la villa des Borgia d'où l'on soupçonnait, avec une volonté superstitieuse, qu'il provînt, des forces maléfiques et destructrices. Tout au plus aurait-il pu engloutir dans la mémoire de sa matière ligneuse et morte l'empreinte fugace de drames à l'italienne que l'appétit morbide des orphelins pubères avait gonflés pour le plaisir des plus petits. Fiction ou vérité, le Seigneur veillait sur ses Filles dont le dévouement s'érigerait en armure contre la part du diable. Et depuis, à l'heure des repas, le buffet des Borgia raconte à de saintes femmes qu'elles vaincront un jour l'inéluctable avilissement du monde.

Il fallait choisir les couleurs pour la chambre des maîtres, un bleu océan, peut-être, marié à de l'ouate ou à de la marjolaine, au goût du designer. Ils se demandaient s'ils n'allaient pas invoquer leur amour du rouge, la nouvelle collection en présentait de fort inspirants, *fiançailles, veuve joyeuse, Casanova…* Pourquoi pas? Leur employé se révélait dogmatique comme un jeune architecte, et il n'avait été question que de paix de l'âme aux portes du sommeil. Les bleus, la mer, une goutte herbacée pour maintenir en éveil l'inconscient qui plonge dans le rêve expiatoire… Et la chair, pensaient-ils, ce puissant somnifère? Aux cuisines et aux lieux de convivialité sont destinés les sucre d'orge, *pomodoro,* cerise et coulis de cassis, car ils aiguisent l'odorat et le verbe. La chambre aspire à la détente chromatique. C'est la base de mon art. Une petite révolution allait suivre : après tout, ils étaient maîtres chez eux, les plaisirs de la table pouvaient bien se prolonger au lit sans que Ralph Lauren ou Sico y eussent rien à redire! Ils avaient cette conviction intime qu'un couple encore vert ne saurait survivre dans un désert de givre ou sur un pont de glace, et encore moins sous un plafond de neiges éternelles.

Elle avait d'abord imaginé une entrée spacieuse et accueillante, avec un carrelage facile à entretenir et un grand miroir doré pour les derniers ajustements qu'elle ferait à sa toilette avant de partir le matin. Les clés seraient suspendues non loin de l'interrupteur, logées dans cette ferrière à vantail d'inspiration bavaroise que lui avait bricolée Simone à l'occasion de son quarantième anniversaire. Venait ensuite la question de l'éclairage, elle hésitait entre des projecteurs à halogène encastrés au plafond et la lampe *Tiffany* qui reposait avantageusement sur sa table de chevet mais qui s'harmonisait mal, désormais, à la sobriété de leur couchage tout neuf. Une prise électrique deviendrait nécessaire à l'emplacement du guéridon, pour brancher la lampe. Plus tard, elle céderait probablement à la tentation de fixer au mur une de ces couronnes de fleurs séchées, de papier chiffon et d'eucalyptus qui donneraient à un lavoir le cachet reconnaissable des boutiques de vannerie fine et de cadeaux aussi chers qu'inutiles qu'elle aimait tant fréquenter le samedi, en quête de soldes. Le printemps dernier, elle avait fait la tournée dominicale des brocantes de banlieue du West Island et avait déniché, pour une bouchée de pain,

78

la banquette de rangement idéale pour cacher les foulards des enfants et offrir à ses vieilles tantes, les soirs de réveillon, un refuge où retirer à leur aise chaussures fourrées et bottes doublées de mouton. Tante Julienne serait par ailleurs ravie de repérer à droite de l'escalier le petit ouvrage au point de croix qu'elle avait brodé avec amour pour les fiançailles de sa nièce préférée. De l'amour, il y en avait également dans le choix qu'elle avait fait d'une imposante armoire en acacia à panneaux moulurés, assez grande pour contenir les atours de visiteurs qu'elle espérerait nombreux et assidus. Son entrée à elle ressemblerait à ces coquilles Saint-Jacques que l'on sert après le potage pour faire plaisir ou pour faire chic, mais qui sont surtout conviviales, un peu prétentieuses et trop salées, à l'image de nos goûts discutables mais légitimes, au fond. Elle avait donc pensé à tout : d'où lui venait ce fâcheux pressentiment qu'elle succomberait à un cancer avant la fin des travaux ?

Tout s'use, c'est bien connu. Mais vous n'avez pas idée à quel point le balcon du deuxième s'est délabré avec les années. Un jour, pimpant et rose comme les fleurs qu'on accrochait à son garde-fou, désormais maussade et chancelant, le bois pourri et dépouillé de ses couleurs. Tenez, comme un vieil arbre en novembre que les sèves délaissent au printemps. Vous me direz qu'il y a eu négligence, que les intempéries excédaient l'entretien, mais à moins de reconstruire, le temps ne vient-il pas à bout de toutes les charpentes? Aux beaux jours, il dominait le paysage et affrontait les bourrasques, l'auvent entortillé en espérant la brise. Deux chaises de parterre s'étaient hissées là-haut pour le spectacle, les *tapas* et les verres de *sangria* arrosaient les canicules. Oui, il en a supporté des amas de neige, des attaques de grêlons et des guêpes dans leurs nids. Il a joui de toutes ses fibres ligneuses et mené grand train, mais tout cela est passé et ne reste que dépouille, un pin blanc transfiguré s'en retournant à la terre.

« I really have not patience with the General. » Non, Mrs Allen n'en avait plus, ni pour son mari d'ailleurs. Sa vie allait bifurquer : le destin, toujours lui, l'avait sous-estimée, elle, la femme de l'ombre. Son petit chien carlin l'attendait dans le fiacre qui devait les conduire chez Miss Greenwood, une amie d'enfance, sa seule amie peut-être. Une malle en osier remplie à la hâte tiendrait compagnie à la boîte à chapeaux. Mais où avait-elle posé ses gants ? Elle ne pouvait partir sans eux, l'idée seule lui parut intolérable. Elle cherchait en vain, pourtant, éperdue, au bord des larmes en parcourant ce luxueux appartement qu'elle ne parvenait pas à quitter, enfin, pendant que s'échappaient du fiacre des aboiements plaintifs et impatients.

Du Bellay quitta l'Anjou pour Rome en 1553 et nous donna *Les Regrets* quelques années plus tard, mais à vrai dire, il habitait Paris et connut durant le voyage Nevers, Lyon, Genève puis Florence, la somptueuse. Faustine occupa un temps sa chair et sa pensée, mais toujours lui revenait la douceur angevine, loin des vagues salées, de la muse italienne. Renaître paysan aux abords de la Loire, plutôt qu'érudit, exilé, orphelin, voilà de Joachim l'ambition dérisoire, le désir aux couleurs des ardoises de France.

L e roi est mort. Les cuisines du château se sont tues, les lustres agonisent, et les pas feutrés des valets abandonnent à la solitude les corridors où se tramaient jadis les entrechats et arabesques d'un service diligemment exécuté. Seul au pied du grand escalier de marbre, le majordome contemple, les yeux vides, ces marches que balayèrent avec élégance, les soirs de bal, velours et taffetas venus rendre hommage à Sa Hauteur. L'hermine royale n'est plus. Le trône en chêne ouvragé sera vendu à l'encan, mardi peut-être, un jour de semaine bien ordinaire. À l'heure de la pause café ou du renvoi d'un commis malhonnête, les effets du roi auront un prix. Hopkins ne pouvait croire que l'on avait touché aux tiroirs du roi. À sa table de chevet, à son secrétaire en marqueterie. Des poignées de bronze avaient été tirées, de petites ferrures et espagnolettes ciselées avec art avaient laissé glisser malgré elles les caissons laqués ou incrustés de nacre, parfois ornés de volutes ou de miniatures néoclassiques, auxquels on les avait attachées par contrat d'ébénisterie. Des bois précieux avaient beau joindre leurs arêtes en de savantes intrications – l'artisan avait choisi pour ce chiffonnier Louis XV un assemblage en fougère dont seul l'usager pouvait goûter, au quotidien, la virtuosité technique –, le tiroir demeurait vulnérable comme une maison sans porte et dévoilait son contenu intime au profane, légataires, exécuteurs, huissiers ou brocanteurs. Le roi est mort, avant-hier, et avec lui le secret des petites serrures dorées que l'on croyait, bien naïvement, les sentinelles de nos pudeurs et coquetteries.

Il fait beau aujourd'hui, ou *bleu,* comme se plaît à dire l'une de mes filles. C'est la catastrophe. À midi, le soleil fera fondre la neige amassée sur le toit, ou encore le givre sous le parement de bois. Et si le point de rosée tombait dans l'isolant, si les murs buvaient l'eau à mon insu? Car les gouttes commencent par geler et puis fondent, au printemps. Et tout cela doit fuir quelque part, le long des 2 × 6, sous le linteau, dans une faille de la couverture... J'accuse le goudron sous zéro, les *scellants* qui décollent, ces fenêtres qui m'obsèdent avec leur pose à la va-vite, comme il sied de nos jours. Je vois bien qu'elles sont mal isolées, encerclées de ponts thermiques – à moins qu'une pression négative ne fasse entrer l'eau quand il pleut. Rien à voir avec les ponts, donc : juste une erreur de *design* combinée à la paresse du silicone. J'ai peine à croire qu'une belle journée d'hiver me cause des inquiétudes, l'orage seul semblait inquiétant. Invoquer la garantie, engager un inspecteur, un avocat peut-être... des frais tout ça, des soucis! Je n'ouvre pas mes livres de peur d'y trouver, en coupe ou en axonométrie, les détails de construction auxquels j'aurais eu droit si j'avais été entre meilleures mains. Jusqu'où la

85

pourriture a-t-elle entamé le bois? *I have to go, my brains are killing me*. Les contremaîtres ont des pouvoirs insoupçonnés sur le chantier de nos vies.

Sur les lattes de bois vernies, là où le vestibule fait office de carrefour entre les chambres, la salle de bains et l'escalier, on voit danser à l'heure de pointe, pour qui sait prendre le temps, la silhouette d'un érable à sucre dont le feuillage s'agite entre les griffes du vent. Ici, les espaces de transition abondent, on a pris un malin plaisir à installer des feux rouges et des pancartes « arrêt » sur le trajet de nos vies trop pressées. On s'est dit que les détours faisaient respirer la routine, que les bancs de parc donnaient lieu à des rêveries poétiques ou méditatives, et que les spectacles de rue, saisis au passage, insufflaient à notre quotidien un air de festival. Quelqu'un a cru, du haut de sa table à dessin, qu'un coup de crayon astucieux nous ferait dévier de la trajectoire rationnelle entre les espaces *a* et *b,* et que dans l'intervalle, les rayons tranchants du matin dérouleraient sous nos pas un parvis de feuilles harcelées par le vent, nous obligeant à freiner la cadence. Oserons-nous le décevoir?

Il y avait, au fond de la chambre, un réduit sombre voilé de calicot où elle rangeait avec soin tout son petit vestiaire, jupes et chemises taillées sur mesure dans les étoffes du meilleur goût. Il y en avait peu et les lignes étaient sobres, intemporelles. Émule de Mies van der Rohe, elle prônait en tout une économie dans la rhétorique pour atteindre au grand style, et cela était vrai aussi de sa garde-robe. Pourtant, suspendue sur la tringle entre une jaquette de soie brute et un pantalon Chanel, une robe de soirée détonnait magnifiquement dans cette harmonie de matières neutres. Elle n'était pas houssée ni recluse dans une armoire particulière. Elle trônait là, rouge et impudente parmi les griffes bien-pensantes, le buste raidi d'organdi broché et les hanches festonnées d'une laize de percaline. Le dessin de la jupe longeait la jambe avec méthode avant de se déverser aux chevilles en falbalas volages et tapageurs, le tout offrant à l'œil une composition évaporée sur fond de sang et de luxure, un trophée de la haute couture signé Valentino. Elle ne l'avait jamais portée mais en avait rêvé longtemps, elle qui, dans ses phantasmes, troquait volontiers *L'Année dernière à Marienbad* contre *Breakfast at Tiffany's,* et préférait à l'élégance de Delphine la pétulance factice d'Audrey. Elle habitait le 8ᵉ arrondissement depuis des lustres et des rides étaient venues entretemps accabler sa beauté. Il ne lui restait plus pour illuminer sa jeunesse enfuie que les vitrines des grands couturiers et une icône dans le placard, avenue Montaigne.

La galerie des Glaces est-elle *feng shui*? Quand on se préoccupe d'aménagement, des questions épineuses surgissent, et l'on n'a pas toujours un exemplaire de *Châtelaine* sous la main. À Versailles, le *chi* avait beau se mirer dans les psychés en arcades pour retourner aussitôt, par les portes françaises, au jardin d'où il venait, on n'y était pas pour vivre mais pour paraître, que l'énergie circulât ou non. Des entraves, peu de courtisans en ignoraient, à commencer par les habits, et ce n'était pas une grenouille dans un coin ni le bassin de Neptune qui auraient commandé à Fortune l'abondance. Soit! On se raccroche à peu de choses, trucs infaillibles et traditions en cinq étapes ; une touche de vert, des poissons rouges, le coup du *ba gua* pour finir… *Et le tour est joué!*

Vous me faites penser à un voyage que j'ai fait en France, il y a plusieurs années, j'allais bientôt terminer mes études et un léger surplus de dettes n'aurait pas suffi à freiner mes élans d'exploratrice. Votre allusion à Marie Stuart m'a ramenée sur le quai d'une petite ville bretonne dont j'ai tout à fait oublié le nom, un nom en *-ec,* sans doute, j'y reviendrai au chapitre suivant. Bref, je me suis revue devant une plaque commémorative ancrée dans un mur de vieilles pierres un peu noircies, le ciel était bas et j'apprenais que Marie Stuart enfant avait débarqué quelques siècles plus tôt à l'endroit même où je me trouvais, moi, quelques siècles plus tard. Je m'étais tournée vers la mer pour rêver à l'Angleterre qu'elle avait dû fuir et qu'on n'apercevait pas à l'horizon. Le vent et l'odeur des algues m'enveloppaient ; je pouvais entendre dans mon imagination des mélodies celtes courir entre les menhirs d'Obélix, et je sentais de lointaines épopées remonter le temps jusqu'au 221B Baker Street, alors que mon héros d'adolescence pénétrait le mystère du rituel des Musgrave. Quelque chose dans la pierre annonçait la Nouvelle-France, les façades rugueuses et les voûtes humides de la place Royale. Il n'y a pas si longtemps,

91

j'adorais me perdre dans le Vieux-Québec, je feignais à chaque visite de découvrir pour la première fois ce patrimoine restauré de façon un peu artificielle mais dont j'admirais tant, alors, la qualité des détails architecturaux. Malgré mes efforts pour la reconnaître à la proue de ce navire qui fonçait sur moi avec la violence des vagues armoricaines, Marie Stuart demeurait l'héroïne d'une biographie douteuse dont j'avais bien vite cessé la lecture, même s'il est vrai que je l'avais aussi croisée dans *La Princesse de Clèves* quelques années auparavant.

J'ai longtemps entendu *La Maison où j'ai grandi* en ignorant qui la chantait, et c'est dans la cuisine de mon premier appartement de Côte-des-Neiges que me fut révélé, à la radio, le nom de Françoise Hardy. J'en ai fait depuis ma chanson préférée, et ce, en dépit d'un cortège de rivales qui lui disputent la palme en invoquant leur propension à m'émouvoir. Je suis en quelque sorte mariée à ce texte et à sa mélodie, les fibres nerveuses de mes aires de Wernicke et de Broca s'harmonisent tout naturellement avec ce composé précis de phonèmes et de pincements de cordes – des affinités qui n'enlèvent pas leur charme aux autres, rassurez-les. À sa manière pop, cette ode à la nostalgie me remuait déjà par anticipation, elle parle de l'enfance et de la maison, du souvenir aussi. J'ai appris ce matin qu'Eddy Marnay en avait tiré l'argument et la musique d'un succès d'Adriano Celentano, *Il Ragazzo della via Gluck,* et j'ai eu la mauvaise idée de recourir à un traducteur automatique pour en comparer les versions. C'est lui, mon père, qui parlait l'italien. Nous avions des rosiers sauvages et la maison n'est plus, bien qu'elle soit habitée par d'autres. Au fond de moi, je la savais hostile, nous en faisions tous les jours un tremplin

93

pour édifier nos châteaux en Espagne, ses villas en Toscane et mes mas de Provence. Dans ses yeux, il voyait des cépages Sangiovese dévaler les collines et du Chianti mûrissant à la cave sur un canevas terre de Sienne. L'air était doux à l'ombre du quattrocento, les oliviers portaient fruits. Mais quand il plantait sa fourche dans le fumier, je tenais la brouette, complice d'une topographie chimérique et d'espérances révolues.

Un toucan déploie ses ailes pour se dégourdir, tranquille. Je n'ai jamais vu ces oiseaux *en vrai* auparavant, et celui-là n'est pas plus réel que les autres. C'est un casse-tête importé du Costa Rica, un casse-tête en bois et en trois dimensions. Jadis, les toucans de mon expérience se contentaient d'apparaître en plan, sur un écran ou dans un livre, l'œil tatoué quelque part entre l'abscisse et l'ordonnée. Perché sur un rayon de la bibliothèque, mon toucan du Costa Rica partage le même espace que moi, et pourtant, c'est le toucan de mon film intérieur dont les ailes se déploient, tranquilles. Je ne saurais décrire leur mouvement sec et gracieux, ni le froissement des plumes contre la paresse humide des feuilles tropicales. Hors de ma jungle, je ne peux que *dire,* un toucan déploie ses ailes pour se dégourdir, tranquille.

Le vieil homme éteignait tous les soirs, à onze heures, la lampe de chevet que sa femme avait allumée pour lire quelques minutes avant la nuit. Le sommeil la gagnait toujours très vite et lui laissait à peine le temps de parcourir les quatre ou cinq paragraphes que sa brève lecture de la veille avait invariablement précédés. Le mari, quant à lui, préférait aux biographies cartonnées de la bibliothèque municipale les décoctions de valériane que lui prescrivait son naturopathe. Le couple souffrait d'arthrite déformante, mais monsieur davantage que sa femme. Vers trois heures, il ferait les cent pas, la lampe de poche au poing. Pour tuer ce temps qui l'empêchait de dormir. Le matelas était insolemment confortable, et les draps, un cadeau de leur fille, enrobaient de flanelle pelucheuse ses membres noueux et secs. Néanmoins, Morphée dédaignait ses offrandes, et ce, depuis des années. Ses tournées nocturnes, pour lui qui n'avait pas été gardien de sécurité, apaisaient l'inflammation, diluaient la douleur, mais le faisceau de lumière qu'irradiait faiblement son instrument de veille obscurcissait les replis du logis, en effaçait les angles et l'unité rassurante. Son monde devenait détails, une enfilade de bulles attachées par le halo mobile de la lampe. Suffocante. Puis au terme de sa ronde, une fenêtre, miroir de nuit, lui renvoyait l'image de ses quatre-vingts ans. À quoi sert un lit si nous ne parvenons pas, entre complies et matines, à y oublier qui nous sommes? Le vieil homme se réfugiait alors contre le corps encore vivant de sa femme.

Il a neigé à Williamsburg. La ville était déserte et les rues, encombrées comme elles devaient l'être au temps de la Déclaration d'indépendance, quand les courants de la baie Chesapeake déjouaient le climat subtropical de la région. Richmond, Norfolk, Suffolk, Portsmouth, Hampton, Newport News… Mes années virginiennes furent bercées par des toponymes aux accents de l'Angleterre nouvelle, la moindre indication routière pour atteindre le Home Depot le plus près ou une poissonnerie bon marché évoquait la royauté britannique, des prouesses militaires, un roman de Jane Austen. Un chat jaune prenait mon ombre en filature dans les rues cossues de Ghent tandis que j'arpentais l'Histoire en solitaire, défiant la chaleur et la tentation de mon confort climatisé. Au royaume de l'arachide et du tabac, j'ai vu des briques trois fois centenaires et des Noirs besogneux, des façades *King George* et *Queen Anne* en bordure de quartiers mal famés où les corps et la brunante ne faisaient qu'un. Là, des bicoques insalubres et délavées affligent le regard, vestiges d'une coquetterie urbaine qui s'est démodée et qu'on a jetée aux classes les plus pauvres. Partout des vitres en éclats, un *pick-up* sans les roues, des barreaux aux fenêtres quand tout n'est pas déjà perdu à l'intérieur. La ségrégation n'a plus cours, et les enfants traversent la voie ferrée pour aller cueillir des bonbons dans les belles maisons le soir de l'Halloween – le noir se mêlant au blanc en une pâte fugitive qui ne tient pas sur la toile. Mais il y avait des couronnes de pommes fraîches accrochées aux fenêtres de Williamsburg à l'approche de Noël, et quand sonnait l'heure du thé, on pouvait déguster à la Hospitality House, *for free,* un délicieux assortiment de scones et de gâteaux secs.

Au fond du salon, sous un soleil de bronze que dessinaient deux larges pans de damas montés sur une tringle scintillante, un *davenport* aux tons pâles, élimé et stoïque, jouait à l'ottomane dans un décor qu'il ne rehaussait pas et dont il subissait chaque jour l'écrasante vanité. Le moiré des coussinets qu'on y avait déployés en renfort égayait à peine sa figure austère, et l'épiderme restait froid aux fards qui s'ingéniaient à le travestir. Un revêtement de moleskine grège, aussi neutre que robuste, avait paru indémodable à l'achat, puis démodé, et un désir de changement s'était emparé des lieux après des années de tempérance esthétique. Seul survivant d'un style international qui avait dominé le mobilier d'origine, le vieux divan-lit n'avait pas su rendre l'âme à temps, et voilà qu'il coulait sa retraite dans un déferlement kitsch, utile malgré lui, la carcasse affublée d'une table basse éléphantine et de lampes aux abat-jour piqués de fausses perles.

We can't kiss our children goodnight in French, c'est bien dommage, mais nous allons tous les soirs les exhorter à faire de beaux rêves en les bordant soigneusement, c'est là notre joie du soir, quand la maison se calme et monte la garde. Les lits s'emplissent de contes à la petite semaine, de loups-garous mal-aimés et de kangourous en exil, ou encore de toutous sanguinaires qui débarquent à la Croix-Rouge, repentis. C'est aussi le champ des rébellions et des calumets de la paix, un dernier verre d'eau, un long câlin, un *scoop* sur Clopin-le-Lapin et l'affaire des trèfles à quatre feuilles, oui-oui, tu l'auras ton film demain si tu dors sagement. Allez, il est tard, même le soleil fait dodo. IKEA vend des lits superposés, mais ici, le lit a deux étages, comme la maison. Deux fillettes s'y échouent chaque veille de lendemain, curieuses de ce que la vie leur réserve dans l'heure ou dans vingt ans, puis la nuit les prend sous son aile, sans crier gare, monsieur Dodo répare le corps de l'une et l'autre espère sa bonne amie guérie pour le dîner de classe, tu imagines, maman a cuisiné un pain aux bananes sans noix, Marjolaine serait tellement contente! En cette soirée du 11 juin, pourtant, la place du dessus est vide, l'échelle, tranquille, la couette est pliée avec soin, et un pincement à l'âme nous chagrine devant ce petit corps absent allongé dans le désordre des draps et des objets qui accompagnent son rêve.

« Marie-Thérèse, téléphone ! » Chaque fois que la banque appelle, Marie-Thérèse sent grimper son taux d'hypothèque au détriment de son chez-soi, elle ne sait plus si elle a du sang bleu ou de vassale dans les veines. Richard lui a pourtant expliqué qu'entre les bureaux du notaire et de l'arpenteur-géomètre, les titres s'écoulent dans les poches des créditeurs, et qu'on devient de moins en moins propriétaire au milieu de tout le carrousel. Hypothéquée, elle le sera jusqu'au dernier huard de capital à rembourser, avec vue sur le lac et verrière trois saisons. Alors, autant en profiter et oublier le temps d'une vie qu'on ne s'appartient pas avant la fin.

Il pleut depuis des semaines. Le climat n'est pas tropical, pourtant, mais l'été est peu clément. Des nappes d'eau stagnante baignent les murs de fondation, incapables de pénétrer le sol jusqu'au drain français, alors qu'une pellicule de feuilles compostées recouvre prématurément la terre, aussi compacte que l'argile. La canicule et les orages ont fait leur œuvre. Le béton tient bon sous son imperméable goudronné, mais de minuscules fissures, telles des rides gravées insensiblement par les gelées successives, laissent entrer à la cave une humidité nauséabonde et un *frisson* sur la peau. Une petite colonie de bestioles poussiéreuses, cloportes, myriapodes et poissons d'argent, a établi ses quartiers là où les humains ne sauraient vivre, entre les meubles désaffectés et les bûches criblées de champignons qu'on a oubliées dans les entrailles de la maison après le dur hiver. On ne sait pas si l'on boira du vin ce soir ou si l'on mangera de la choucroute entreposée dans la chambre froide, car personne n'ose descendre à la cave de peur d'y voir suinter le sol ou croître les moisissures. La pluie assiège nos murs et mène à nos portes des armées de menus cadavres pétris par la boue laborieuse. L'automne en été, sans le chant du cygne, sans la beauté des couleurs. Il ne manquerait plus que mon père soit enterré au jardin.

Les canards avaient quitté le lac, et les marmottes rentraient sous terre ; David, lui, rentrait bredouille de sa saison de chasse. Au dehors, la vie s'affairait à ralentir, chacun en sa tanière, chaque être à son repli. Sous la couverture, il se prit à rêver d'un sommeil sans fin, jusqu'au réveil du torrent et des glaces en colère. Quel délire ce serait d'hiberner comme un ours ! Mais il raterait la pêche au poulamon, au confluent du fleuve et de la Batiscan. La télévision jeta sur lui son petit feu de paille.

La table est mise. Les filles prennent le potage, recueillies, alors que monte dans la pièce l'arôme du genièvre. Sous les pans de mousseline, le verger porte fruits, descend vers la rivière. Elles fredonnent à présent, rêveuses, un air sentimental qu'elles ont appris. Les plats s'achèvent. Les plats s'entassent. J'ai fermé la radio, et j'ai tourné mon cœur vers toi.

J'étais assise à mon pupitre blanc, seule pour quelques jours, j'allais avoir trente ans. Des souvenirs se bousculaient dans ma tête, mêlés aux impressions du moment et aux boîtes qu'il fallait encore déballer autour de moi. Cela donnait un goût étrange à ma pensée, les départs et les arrivées de ma vie jusque-là, dans cet appartement. Je m'étais mariée la veille ou presque, et voilà que j'entrais dans mon mariage en vidant des boîtes, que je remontais les bibliothèques et le lit de ma grand-mère dans un lieu neuf et vieux à la fois. Vétuste même. Il était minuit quand j'aperçus la cuisine, après un long voyage, et je pris le temps de la repeindre avant d'aller au lit pour la première fois, chez nous, enfin seuls! J'ai toujours eu beaucoup d'imagination. Je méditais cela devant mon cahier, combien j'avais rêvé de chimères dans ma vie, combien peu j'avais fait, au fond, à part des bêtises. Ce sont les pensées qui me viennent quand je regarde dehors, assise à un pupitre, le mien ou celui d'un autre. Non, changer de chaise ne m'a jamais rien valu. Il me restait encore des enfants à faire et des deuils à traverser, des boîtes à traîner à mes pieds, jusqu'ici. Et là, aujourd'hui, je me souviens de cet instant où j'ai voulu rendre hommage à notre amour, faire quelque chose de moi et de nous. J'ai presque terminé, tu vois, tous ces départs pour arriver un peu, *along the road*.

J'ai fait un rêve étrange, mon père se préparait à mourir. Il n'avait pas de carabine sous le menton ou sur la tempe, mais nous savions comme lui que la fin était proche. Il avait plié bagage, et je crus reconnaître dans le motif *paisley* de son revêtement une valise qui aurait hanté les placards de la maison avant de disparaître, comme trop de choses. Il avait enfilé sa chemise de mariage, qu'il gardait en souvenir de jours meilleurs ou par cynisme, amère épave d'un bonheur illusoire. Quoi qu'il en soit, c'était une élégante chemise ivoire taillée dans une soie gaufrée, de belle confection, dont il avait noué la lavallière et garni les poignets de ses plus beaux boutons de manchette. Nous étions tristes, mais je ne saurais dire qui était *nous,* les enfants, la famille, nous tous autant que nous étions… Expo 67 parfumait l'air de mon rêve, c'était mon père quand il ne l'était pas encore, et qui allait mourir. Le sous-sol était sans fenêtre et mal ventilé, je le vis alors transporter dans la pièce un immense étui à contrebasse, et tout endimanché, en habit de jeune marié, mon père se coucha à la place de l'instrument et referma le cercueil, sans un requiem.

ACHEVÉ D'IMPRIMER
EN MARS 2009
SUR LES PRESSES DE MARQUIS IMPRIMEUR INC.
SUR PAPIER SILVA ENVIRO
100% POSTCONSOMMATION